Jacques Thorel

aimer
la cuisine
de Bretagne

Photographies
Claude Herlédan

Editions OUEST-FRANCE

Sommaire

Les soupes et entrées
8

Les coquillages et crustacés
20

Les poissons
38

Les viandes
58

Les légumes et accompagnements
76

Les laitages et desserts
96

Table des recettes
138

Les soupes
et entrées

Soupe de potiron

Pour 6 personnes

1 MORCEAU DE CITROUILLE D'ENVIRON 1 KG • 1 L DE LAIT ENTIER
100 G DE BEURRE • SEL ET POIVRE

- Éplucher la citrouille et ôter les pépins.
- Détailler la chair en gros dés.
- Mettre le lait à bouillir, ajouter la chair de citrouille coupée en dés. Saler.
- Remuer souvent car la citrouille attache facilement.
- Faire cuire 20 min.
- Mixer ou passer au moulin à légumes.
- Ajouter le morceau de beurre.
- Mixer pour la rendre bien onctueuse.
- Mettre en soupière et servir avec des croûtons si vous aimez.

Cotriade

Pour 6 personnes

1 kg de poisson de mer (colin, grondin, maquereau, vieille, congre, etc.)
100 g de beurre • 2 gousses d'ail • 5 grosses pommes de terre • 3 oignons moyens
6 tranches épaisses de pain de campagne • Laurier • Huile et vinaigre • Sel et poivre

• Écailler les poissons minutieusement en veillant à ne pas laisser d'écailles.

• Enlever les nageoires à l'aide d'une paire de ciseaux.

• Couper les têtes avec un couteau bien tranchant.

• Les laver soigneusement et bien les essuyer sur un papier absorbant.

• Tronçonner les poissons les plus gros.

• Éplucher et émincer les oignons.

• Éplucher, écraser et hacher les deux gousses d'ail.

• Éplucher et laver les pommes de terre et les couper en quartiers.

• Faire revenir les oignons dans du beurre, dans une petite marmite.

• Puis mouiller d'un tiers de litre d'eau par convive. Assaisonner sel et poivre.

• Ajouter les pommes de terre en quartiers, thym, laurier, gousses d'ail hachées.

• Lorsque les pommes de terre sont cuites, augmenter la puissance du feu et ajouter les poissons.

• Quand le poisson est cuit, le mettre sur une tranche de pain épaisse légèrement grillée, en l'arrosant de bouillon.

• Servir à part une vinaigrette au persil.

Soupe au blé noir
et au lard

Pour 8 personnes

100 G DE SAINDOUX • 300 G DE POITRINE FUMÉE • 250 G DE FARINE DE BLÉ NOIR • 3 L D'EAU
1 BOUQUET GARNI (PERSIL, THYM, LAURIER) • 4 TRANCHES DE PAIN DE MIE • 100 G DE BEURRE

• Couper la poitrine de porc fumée en tranches, ôter la couenne et tailler des lardons de la largeur d'un petit doigt.

• Les faire revenir dans le saindoux, jusqu'à ce qu'ils soient légèrement colorés. Attention toutefois que le saindoux ne brûle pas.

• Ajouter la farine de blé noir et laisser cuire 5 min.

• Mouiller avec les 3 l d'eau.

• Porter à ébullition en remuant bien avec une cuillère en bois.

• Ajouter le bouquet garni.

• Faire cuire 1 h de façon à obtenir une crème très onctueuse.

• Surveiller et remuer souvent, ce genre de préparation a une fâcheuse tendance à accrocher au fond de la casserole.

• Rectifier l'assaisonnement et servir des petits croûtons de pain de mie taillés en dés et sautés au beurre.

Soupe d'étrilles

Pour 4 personnes

1 KG D'ÉTRILLES • 1 GROS OIGNON • 1 POIREAU • 2 CAROTTES • 1 BRANCHE DE CÉLERI
500 G DE TOMATES • 2 GOUSSES D'AIL • 25 CL DE VIN BLANC • 1 L D'EAU
3 CUILLERÉES À SOUPE D'EAU-DE-VIE • 100 G DE BEURRE

- Éplucher l'oignon et l'émincer.
- Nettoyer, laver le poireau et le céleri. Les tailler en dés.
- Éplucher les carottes et les émincer.
- Éplucher et hacher les deux gousses d'ail.
- Laver et brosser les crabes à grande eau jusqu'à ce qu'ils soient bien propres.
- Faire revenir les légumes dans le beurre à feu doux dans une petite marmite.
- Couper les crabes en quatre à l'aide d'un couteau bien tranchant.
- Augmenter la puissance du feu sous la marmite de légumes et ajouter les crabes coupés en quatre. Bien remuer jusqu'à ce que les crabes commencent à colorer.
- Ajouter alors l'eau-de-vie et flamber.
- Ajouter les tomates coupées en quatre et l'ail haché. Mouiller avec le vin blanc et l'eau.
- Amener à ébullition et laisser cuire 20 min.
- Mixer la soupe afin de broyer les crabes.
- Passer la soupe au chinois en foulant bien pour extraire le maximum des sucs de la soupe. Vérifier l'assaisonnement.
- Servir la soupe bien chaude en soupière. Accompagner de petits croûtons grillés au four et frottés à l'ail.

Soupe de coques
au curry

Pour 6 personnes

2 KG DE COQUES • 100 G DE BEURRE • 3 ÉCHALOTES • 30 CL DE VIN BLANC
30 CL DE CRÈME FRAÎCHE • 1/2 CUILLERÉE À CAFÉ DE CURRY • 2 PETITES POMMES

- Mettre les coques à dégorger à l'eau froide pendant au moins 2 h.

- Laver les coques à grande eau et les égoutter dans une passoire.

- Éplucher et ciseler finement les échalotes. Le mettre avec le vin blanc dans une petite marmite. Porter à ébullition et ajouter les coques, couvrir.

- Lorsque la vapeur s'échappe, ôter le couvercle et remuer.

- Couvrir à nouveau et laisser cuire 5 min.

- Retirer la marmite du feu.

- Ôter la chair des coques des coquilles et la répartir dans six bols à potage.

- Passer le jus des coques à travers une passoire fine, attention de ne pas mettre de sable.

- Ajouter la crème et le curry. Faire bouillir 5 min.

- Éplucher les pommes et les tailler en petits dés. Les répartir entre les six bols à bouillon.

- Ajouter les 100 g de beurre au bouillon de coques et émulsionner avec un mixer. Vérifier l'assaisonnement.

- Partager le bouillon de coques entre les six bols à bouillon et servir bien chaud.

Soupe de moules

Pour 6 personnes

1 kg de moules • 3 grosses pommes de terre • 1 gros poireau • 2 carottes
1 petit pot de crème • 1 bouquet garni (persil, thym, laurier)

- Faire ouvrir les moules dans 50 cl d'eau.

- Lorsqu'elles sont ouvertes, filtrer la cuisson des moules.

- Décortiquer les moules et les réserver pour la finition de la soupe.

- Éplucher et nettoyer les légumes.

- Tailler le poireau en petits morceaux et le faire suer au beurre. Mouiller avec la cuisson des moules : il faut environ 2 l de cuisson (sinon, rajouter de l'eau pour avoir la quantité).

- Ajouter les carottes coupées en petits morceaux et laisser cuire 15 min.

- Ensuite, ajouter les pommes de terre coupées également en petits morceaux et laisser cuire 15 min.

- Ajouter le petit pot de crème et les moules, donner un bouillon et servir avec des petits croûtons.

Civelles
en vinaigrette

Pour 6 personnes

1 KG DE CIVELLES • 2 CUILLERÉES À SOUPE DE VINAIGRE • 5 CUILLERÉES À SOUPE D'HUILE
1 ÉCHALOTE • 1 PETIT BOUQUET DE PERSIL • 1 PETIT BOUQUET DE CIBOULETTE

• Laver les civelles à grande eau plusieurs fois pour les débarrasser des traces de sable et des impuretés.

• Faire bouillir une grande marmite d'eau salée.

• Les plonger et les laisser 1 min à la reprise de l'ébullition.

• Les égoutter et les plonger dans une bassine d'eau glacée.

• Égoutter à nouveau et bien les éponger dans un linge.

• Préparer la vinaigrette en mélangeant bien l'huile et le vinaigre, assaisonner de sel et poivre.

• Ajouter l'échalote finement ciselée et les herbes, hachées également finement.

• Bien mélanger et adjoindre les civelles.

• Bien vérifier l'assaisonnement.

Voilà une entrée dont toute la région de Saint-Nazaire se régalait une fois par semaine, il y a une trentaine d'années. Malheureusement, les prix ont tellement flambé que pouvoir en manger est devenu un véritable luxe.

Sardines au sel

Pour 4 personnes

24 sardines de taille plutôt réduite • Gros sel de Guérande • Poivre au moulin

La veille

- Prendre des sardines très fraîches, brillantes et bien formées.
- Écailler soigneusement les sardines.
- Couper les têtes et vider les sardines.
- Bien les essuyer à l'aide d'un papier absorbant.
- S'assurer qu'il ne reste pas d'écailles.
- Les ranger dans une assiette en verre.
- Assaisonner avec du gros sel de Guérande et du poivre à moulin.
- Mettre dans un endroit frais ou dans le bas du réfrigérateur ; dans ce cas, recouvrir l'assiette d'un papier film. Laisser ainsi une nuit.

Le jour même

- Essuyer les sardines avec un papier absorbant.
- Servir les sardines accompagnées de pain de seigle grillé et de beurre demi-sel.

Les coquillages
et crustacés

Bulots
au court-bouillon

Pour 8 personnes

3 kg de bulots • 1 cuillerée à soupe de graines de fenouil

1 cuillerée à soupe de graines de coriandre • 1 cuillerée à soupe de poivre noir

1 éclat d'anis étoilé • 4 petites tranches de gingembre • 1 feuille de laurier

1/2 verre de vinaigre de vin • Thym, persil • 1 zeste d'orange

5 rondelles de citron • Sel

- Laver les bulots en les brassant énergiquement.
- Les mettre dans un récipient recouvert d'eau froide.
- Ajouter deux bonnes poignées de gros sel.
- Laisser reposer 3 à 4 h en remuant de temps en temps pour les faire dégorger.
- Ensuite mettre les bulots dans une marmite.
- Les recouvrir de 5 l d'eau, ajouter tous les éléments aromatiques de la garniture, saler et porter à ébullition.
- Écumer.
- Laisser cuire 40 min.
- Les servir tout chauds enveloppés du parfum des îles, avec du pain de seigle et du beurre fermier.

Coquilles
Saint-Jacques au naturel

Pour 4 personnes

12 GROSSES COQUILLES SAINT-JACQUES DE LA BAIE DE QUIBERON • 200 G DE BEURRE DEMI-SEL
PERSIL • SARRIETTE • FLEUR DE SEL • POIVRE DU MOULIN

• Faire nettoyer par le poissonnier vos coquilles Saint-Jacques et ne garder que les noix et le corail.

• Couper chaque noix en trois tranches régulières et le corail en petits dés.

• Bien nettoyer quatre belles coquilles.

• Beurrer le fond des quatre coquilles et y ranger les tranches de noix de Saint-Jacques ainsi que le corail coupé en dés.

• Beurrer avec un pinceau les tranches de Saint-Jacques, mettre un peu de sarriette, persil haché, fleur de sel et poivre du moulin.

• Passer au four bien chaud environ 3 min.

Il est très important de choisir des coquilles Saint-Jacques de la baie de Quiberon car elles sont d'une très grande qualité et plus charnues que les autres.

24

Coquilles
Saint-Jacques à la bretonne

Pour 4 personnes

12 grosses coquilles Saint-Jacques • 4 oignons moyens • 4 échalotes
300 g de beurre demi-sel • 50 g de mie de pain trempée dans un peu de lait
100 g de chapelure • 1 pointe d'ail • Poivre du moulin

• Faire nettoyer par le poissonnier vos coquilles Saint-Jacques et ne garder que les noix et le corail.

• Les couper en gros morceaux réguliers.

• Hacher finement les oignons et les échalotes, les cuire doucement dans 200 g de beurre.

• Remuer souvent pour ne pas laisser roussir.

• Quand les oignons sont bien fondus et bien cuits, ajouter les coquilles (noix et corail), la pointe d'ail et la mie de pain.

• Laisser cuire 5 min.

• Rectifier l'assaisonnement.

• Partager la préparation en quatre coquilles.

• Saupoudrer de chapelure, poser des petits flocons de beurre sur chaque coquille et mettre à four chaud 10 min.

Moules
à la crème de thym

Pour 4 personnes

2 KG DE MOULES • 100 G DE BEURRE DEMI-SEL • 4 ÉCHALOTES • 2 BRANCHES DE THYM
20 CL DE MUSCADET • 25 CL DE CRÈME FRAÎCHE

- Nettoyer et gratter les moules. Les laver rapidement à grande eau et les égoutter dans une passoire.

- Éplucher les échalotes. Les ciseler finement.

- Émietter le thym de façon à obtenir la valeur d'une cuillère à café.

- Dans une casserole assez grande, mettre l'échalote, le beurre, et le vin blanc.

- Poivrer et porter à ébullition pendant 5 min.

- Mettre alors les moules et couvrir avec un couvercle. Augmenter la puissance du feu.

- Quand la vapeur commence à s'échapper, ôter le couvercle et faire sauter les moules. Si cette opération vous semble très compliquée, remuez avec une écumoire.

- Dès que les moules sont ouvertes, retirer la casserole. Décortiquer les moules en ne gardant pas la coquille vide.

- Ranger les coquilles pleines dans un plat creux.

- Passer le jus dans une casserole en faisant bien attention de ne pas mettre de sable. Ajouter le thym émietté au jus. Faire bouillir 2 min.

- Ajouter la crème fraîche. Faire bouillir 5 min.

- S'assurer que la sauce est bien onctueuse. Vérifier l'assaisonnement.

- Verser la sauce sur les moules.

- Passer à four bien chaud pendant 3 min.

Moules marinières

Pour 4 personnes

2 KG DE MOULES • 100 G DE BEURRE DEMI-SEL • 2 GOUSSES D'AIL • 1 OIGNON

3 ÉCHALOTES • 1 BRANCHE DE THYM • 1 PETIT BOUQUET DE PERSIL

1 PETITE FEUILLE DE LAURIER • 20 CL DE MUSCADET

• Nettoyer et gratter les moules. Les laver rapidement à grande eau, et les égoutter dans une passoire.

• Éplucher l'oignon et les échalotes. Les ciseler finement.

• Éplucher et hacher l'ail. Ciseler finement le bouquet de persil.

• Dans une casserole assez grande, mettre l'oignon, l'échalote, l'ail, le beurre, le persil, le thym, le laurier et le vin blanc. Poivrer et porter à ébullition pendant 5 min.

• Mettre alors les moules et couvrir avec un couvercle. Augmenter la puissance du feu.

• Quand la vapeur commence à s'échapper, ôter le couvercle et faire sauter les moules. Si cette opération vous semble très compliquée remuez avec une écumoire.

• Recouvrir et attendre de nouveau quelques minutes. Les moules doivent être toutes ouvertes. Sinon, recommencer l'opération.

• Quand les moules sont ouvertes, dresser dans un plat creux.

• Arroser avec le jus en faisant attention de ne pas mettre de sable.

• Servir bien fumant et bien chaud.

Palourdes farcies
à ma façon

Pour 4 personnes

48 PALOURDES • 250 G DE BEURRE DEMI-SEL • 50 G D'ÉCHALOTES • 10 G D'AIL
20 G DE PERSIL • 20 G DE POUDRE D'AMANDES

- Ouvrir les palourdes à la main à cru.
- Les ranger sur quatre assiettes à palourdes farcies.
- Hacher le persil, l'ail et les échalotes séparément.
- Faire suer les échalotes hachées dans un petit morceau de beurre.
- Ajouter le persil, l'ail et le beurre restant, puis faire chauffer jusqu'à ce que le beurre mousse.
- Quand le beurre est bien mousseux, le répartir sur chaque palourde.
- Saupoudrer de poudre d'amandes et mettre au four chaud pendant 5 min.
- Servir bien chaud.

Crépinettes
de coquillages

Pour 4 personnes

500 G DE CHAIR À SAUCISSE • 500 G DE BULOTS • 500 G DE BERNIQUES

1 BONNE POIGNÉE D'HERBES POTAGÈRES (ÉPINARDS, OSEILLE, VERT DE POIREAUX, ETC.)

10 CL DE VIN BLANC • 1 CUILLERÉE À SOUPE DE LAMBIC • PERSIL, CIBOULETTE • 1 CRÉPINE

- Cuire au court-bouillon les bulots pendant 40 min.
- Cuire également les berniques dans un peu d'eau salée à couvert.
- Décoquiller les bulots et les berniques.
- Ôter la petite spirale noire des bulots, ainsi que la petite poche noire des berniques.
- Faire tomber au beurre la poignée d'herbes à soupe que l'on aura préalablement nettoyées et lavées.
- Hacher grossièrement les coquillages.
- Concasser grossièrement les herbes à soupe.
- Ciseler la ciboulette et le persil.
- Mélanger la chair à saucisse, les coquillages et les herbes hachées, le vin blanc, le lambic. Assaisonner.
- Faire des petits paquets de 100 g que l'on enveloppe dans la crépine.
- Les ranger dans un plat en terre, verser 50 g de cuisson de bulots et mettre au four 30 min à 200 °C (th. 6/7).
- On peut également les cuire à la poêle tout doucement sur le coin du feu.
- Se mange chaud ou froid suivant le goût de chacun.

Homard grillé
à l'estragon

Pour 4 personnes

2 HOMARDS DE 800 G • 100 G DE BEURRE • 10 CL DE CRÈME
10 CL DE LAMBIC (EAU-DE-VIE LOCALE) • 2 BRANCHES D'ESTRAGON

- Fendre les homards vivants en deux dans le sens de la longueur avec un couteau bien tranchant.
- Enlever la petite poche de cailloux qui se trouve dans le coffre.
- Bien beurrer les quatre parties et les assaisonner au sel et poivre du moulin.
- Les mettre sur une plaque.
- Faire griller au four à 220°C (th. 7/8) pendant 15 min.
- Mettre le lambic dans la plaque et ne pas flamber.
- Ôter les homards de la plaque.
- Ajouter la crème au lambic.
- Donner un bouillon.
- Servir le homard avec la sauce à part.

Oursins farcis
aux scaroles
et aux coquilles Saint-Jacques

Pour 4 personnes

12 OURSINS « VIOLETS » DES CÔTES BRETONNES • 6 COQUILLES SAINT-JACQUES
4 FEUILLES DE SCAROLE • 10 CL DE CRÈME FRAÎCHE • 50 G DE BEURRE

• Nettoyer les coquilles Saint-Jacques et ne garder que les noix et les coraux.

• Ouvrir les oursins à l'aide d'un ciseau. Les retourner afin que l'eau s'égoutte ainsi que les débris. Puis, à l'aide d'une petite cuillère, ôter les substances noires qui restent entre les languettes orange. Il ne reste que cinq languettes orange à l'intérieur de la coquille d'oursin.

• Nettoyer les feuilles de scarole, les émincer finement et les faire suer au beurre les feuilles de scarole émincées.

• Tailler en dés les noix et coraux des coquilles Saint-Jacques.

• Faire bouillir la crème fraîche, la mélanger avec les scaroles et les coquilles Saint-Jacques. Saler et poivrer.

• Mettre le mélange dans les coques d'oursin. Glisser au four 3 min.

• Servir immédiatement et manger à l'aide d'une petite cuillère.

Les poissons

Anguilles
aux pruneaux

Pour 4 personnes

4 ANGUILLES DE 500 G • 10 PETITS OIGNONS • 200 G DE CHAMPIGNONS DE PARIS
100 G DE BEURRE • 100 G DE LARD MAIGRE COUPÉ EN LARDONS • 1 BRANCHE DE THYM
1 FEUILLE DE LAURIER • 12 PRUNEAUX • 1 BOUTEILLE DE VIN ROUGE (CHINON)

• Éplucher les petits oignons.

• Enlever la partie sableuse des champignons de Paris. Les laver deux fois à l'eau en prenant bien soin qu'il ne reste pas de sable. Les couper en quartiers.

• Nettoyer et dépouiller les anguilles, les essuyer, les couper en tronçons.

• Les faire revenir dans le beurre bien chaud. Les retirer quand elles sont bien dorées.

• Puis faire revenir les lardons et les petits oignons.

• Saupoudrer de farine, mouiller avec le vin rouge ; ajouter thym, laurier, sel, épices.

• Mettre les anguilles dans cette sauce.

• Ajouter les pruneaux.

• Poêler les champignons rapidement dans une cuillère à soupe d'huile bien chaude et les adjoindre aux anguilles.

• Laisser cuire 30 min à petit feu au coin du fourneau.

Raie rôtie au lard

Pour 4 personnes

1 BELLE AILE DE RAIE D'ENVIRON 1,5 KG • 4 TRANCHES TRÈS FINES DE POITRINE DE PORC
(SI POSSIBLE NON FUMÉE) • 500 G DE TOMATES • 500 G DE CHAMPIGNONS DE PARIS
2 PETITES COURGETTES • 2 ÉCHALOTES • 1 OIGNON • 100 G DE BEURRE
1 BRANCHE DE THYM • SEL • POIVRE DU MOULIN

• Faire ôter les peaux de la raie par votre poissonnier. Parer la raie à l'aide d'un couteau tranchant afin d'ôter les pointes de l'aile. La laver soigneusement et bien l'essuyer sur un papier absorbant.

• Éplucher et ciseler finement l'oignon et les échalotes.

• Enlever la peau des tomates après les avoir plongées 30 s dans l'eau bouillante. Les couper en quatre et retirer les pépins.

• Nettoyer soigneusement les champignons et les laver. Les émincer.

• Tailler les courgettes en rondelles.

• Envelopper l'aile de raie dans les tranches de poitrine de porc. Procéder comme pour un paquet. L'aile de raie doit être complètement emmaillotée. Saler et poivrer.

• Prendre un plat pouvant aller sur la flamme et faire chauffer 50 g de beurre. Quand il est bien mousseux, faire revenir la raie. Dès que le lard est bien doré, retourner l'aile de raie. Faire dorer l'autre côté en même temps que l'oignon et les échalotes ciselées.

• Ensuite ajouter autour les tomates coupées en quartiers, les champignons émincés et les rondelles de courgette.

• Poser la brindille de thym sur la raie. Saler et poivrer et mettre au four à 220 °C (th. 6/7), pour 20 min.

• Sortir du four, couvrir d'un papier aluminium et laisser reposer 10 min avant de servir.

Mulet braisé
comme à l'île d'Arz

Pour 4 personnes

1 mulet de 1,8 kg environ • Quelques branches de fenouil bien sèches
4 à 5 petites pommes acides • 5 poireaux • 2 échalotes • 1 oignon • 100 g de beurre
10 cl de muscadet • 30 cl de bouillon de légumes • Sel, poivre du moulin

- Écailler et vider le poisson. Enlever les nageoires à l'aide d'une paire de ciseaux. Le laver et bien l'essuyer.

- Éplucher et ciseler finement l'oignon et les échalotes.

- Nettoyer et laver les poireaux plusieurs fois pour qu'il ne reste pas de sable. Puis les couper en tronçons de 3 cm.

- Introduire par le ventre du mulet les branchettes de fenouil et les faire ressortir par la gueule.

- Beurrer un plat en terre légèrement plus long que le mulet. Répartir les échalotes et l'oignon autour du mulet. Ajouter les tronçons de poireaux. Saler et poivrer.

- Mettre le muscadet et le bouillon de légumes (ou de l'eau). Mettre lee beurre coupé en petits morceaux sur le mulet. Glisser au four pour 15 min.

- Ajouter les pommes pelées, épépinées et coupées en quartiers autour du poisson. Si le jus a beaucoup réduit, mettre un papier aluminium. Mettre au four pour 15 min. Arroser régulièrement le mulet au cours de la cuisson. Servir tel quel dans le plat de cuisson.

Le mulet, poisson mal aimé et surtout inconnu, peut, si on le choisit bien, être un vrai régal. Il faut choisir un mulet dit sauteur, ce qui n'est pas facile à deviner sur l'étal d'un poissonnier. La particularité des sauteurs est d'avoir une tache jaune doré sur le côté de la tête.

Morue
à la parmentière

Pour 6 personnes

500 g de morue salée • 1 l de lait • 500 g de pommes de terre • 100 g de beurre
1 bouquet garni • 1 oignon • Sel, poivre du moulin.

La veille

• Mettre la morue à dessaler 18 à 24 h. Changer l'eau si possible toutes les 6 h.

Le jour même

• Laver et éplucher les pommes de terre. Les mettre dans une casserole, recouvrir d'eau, saler très peu. Cuire 20 min à couvert.

• Pendant ce temps mettre la morue dans une petite marmite. Recouvrir de lait, ajouter le bouquet garni, l'oignon et un peu de poivre en grains.

• Amener tout doucement à frémissement. Dès que le lait commence à frémir, retirer du feu. Laisser pocher 15 min.

• Égoutter les pommes de terre et les passer au moulin à purée.

• Bien travailler la pulpe de pomme de terre et ajouter les 100 g de beurre, bien mélanger et détendre avec le lait de cuisson de la morue.

• Quand la purée est bien à point, vérifier l'assaisonnement (attention, la morue est salée).

• Effeuiller la morue dans la purée et bien mélanger.

• Mettre dans un plat creux et passer au four quelques minutes.

Carrelet
aux carottes

Pour 4 personnes

1 KG DE CAROTTES NOUVELLES • 1 L DE BOUILLON DE VOLAILLE • 50 G DE BEURRE

4 PORTIONS DE CARRELET DE 150 G • 4 CUILLERÉES À SOUPE DE CRÈME FRAÎCHE

SEL ET POIVRE • NOIX MUSCADE

- Faire lever les filets de poisson par votre poissonnier.

- Éplucher et laver les carottes. Tailler les carottes en rondelles.

- Les faire cuire avec le bouillon de volaille et les 50 g de beurre jusqu'à évaporation presque totale du liquide.

- Assaisonner de sel et poivre.

- Recouvrir les morceaux de poisson avec un peu de crème, râper un peu de noix muscade dessus.

- Mettre dans une plaque avec un peu d'eau au fond et faire cuire 10 min au four à 200 °C (th. 6/7).

- Répartir les carottes dans un plat puis y déposer délicatement les filets de poisson.

- Servir.

Tourte de thon
concarnoise

Pour 6 personnes

500 g DE THON FRAIS • 300 g DE POITRINE DE PORC • 1 kg DE POMMES DE TERRE
100 g DE BEURRE • 1 BOUQUET DE PERSIL • 1 BOUQUET DE CIBOULETTE • SEL, POIVRE DU MOULIN

• Laver et éplucher les pommes de terre.

• Bien nettoyer le morceau de thon en s'assurant qu'il ne reste pas de morceaux de peau ou d'arêtes. S'assurer que la couenne a bien été ôtée de la poitrine de porc et qu'il ne reste pas de petits os.

• Ciseler le paquet de ciboulette. Hacher grossièrement le persil.

• Passer le morceau de thon à la machine à hacher (grosse grille) avec la poitrine de porc.

• Bien mélanger la farce, lui ajouter la ciboulette et le persil. Assaisonner de sel et poivre.

• Essuyer les pommes de terre avec un torchon. Les couper en tranches assez épaisses d'environ 4 mm, beurrer une tourtière et les ranger assez serrées au fond de la tourtière.

• Mettre la farce sur cette couche de pommes de terre. Bien lisser à l'aide d'une cuillère trempée dans l'eau.

• Mettre à nouveau une couche de pommes de terre très serrées, de telle sorte que la farce soit complètement recouverte de pommes de terre.

• Beurrer les pommes de terre pour qu'elles ne sèchent pas à la cuisson.

• Poser une feuille de papier aluminium sur la tourtière.

• Mettre le couvercle si vous en avez un. Mettre au four chaud à 200 °C (th. 6/7) pendant 40 min.

• Enlever la feuille de papier aluminium et finir de cuire pendant 20 min.

Grondin
du Guilvinec

Pour 4 personnes

4 GRONDINS DE 350 G PIÈCE (VIDÉS ET DÉCAPITÉS) • 8 ÉCHALOTES • 2 GOUSSES D'AIL
2 GROS OIGNONS • 1 BOUTEILLE DE VIN ROUGE • 1 CUILLERÉE À SOUPE DE FARINE
150 G DE BEURRE • 1 BOUQUET GARNI (THYM, PERSIL, LAURIER, SAUGE)

- Écailler le poisson en s'assurant qu'il ne reste pas de petites écailles.

- Couper la tête avec un couteau bien tranchant.

- Enlever les nageoires en les coupant à l'aide d'une paire de ciseaux.

- Tronçonner les grondins de façon à avoir huit morceaux.

- Éplucher et hacher les échalotes et les oignons.

- Faire revenir au beurre ce hachis d'oignons, échalotes ainsi que les deux gousses d'ail non épluchées.

- Quand le tout est bien revenu, ajouter une cuillerée de farine, bien remuer jusqu'à ce que ce soit légèrement doré.

- Verser la bouteille de vin rouge, bien remuer avec une cuillère en bois et ajouter le bouquet garni.

- Assaisonner et cuire lentement pendant 30 min.

- Mettre les huit morceaux de grondin et laisser cuire 10 min.

Ragoût de lotte

Pour 6 personnes

2 lottes de 1 kg pièce • 1 kg de moules • 1 kg de pommes de terre
100 g de beurre • 1 bouquet garni (laurier, persil) • 3 échalotes • 10 cl de muscadet
• 20 cl de crème fraîche • Sel, poivre du moulin

• Faire nettoyer les lottes par votre poissonnier. Lever les filets et détailler en morceaux de 50 g.

• Laver et éplucher les pommes de terre. Les couper en tranches assez fines.

• Éplucher et ciseler les échalotes.

• Bien nettoyer les moules et les laver, les égoutter dans une passoire.

• Mettre le muscadet dans une casserole avec les échalotes et le bouquet garni. Ajouter les moules et les faire ouvrir à feu assez vif.

• Les décortiquer et récupérer le jus de cuisson.

• Mettre le jus de cuisson dans une casserole avec les pommes de terre et ajouter la crème fraîche. Faire cuire 10 min.

• Assaisonner les morceaux de lotte et les saisir vivement.

• Prendre une terrine en terre, mettre une couche de pommes de terre à l'aide d'une écumoire.

• Mettre les morceaux de lotte et recouvrir avec le reste de pomme de terre.

• Mouiller avec le reste de jus de cuisson des pommes de terre.

• Mettre au four pour 15 min.

Morgate
à la sinagote

Pour 6 personnes

1 KG DE BLANC DE SEICHE (MORGATE DANS LE PAYS DE VANNES) • 8 TOMATES
2 OIGNONS MOYENS • 2 ÉCHALOTES • 1 TÊTE D'AIL • 100 G DE BEURRE
2 CUILLERÉES À SOUPE DE LAMBIC • 10 CL DE MUSCADET • SEL, POIVRE DU MOULIN

• Bien nettoyer le blanc de seiche, retirer la peau, une fine pellicule qui se trouve sur le blanc.

• Si vous avez la seiche entière, retirer la poche qui contient l'encre. Enlever également la peau sombre et les épines qui se trouvent dans la calotte, le bec cornu et les ventouses des tentacules.

• Couper la morgate en morceaux de 1 cm de large. Couper également les tentacules.

• Peler et épépiner les tomates. Éplucher et émincer les oignons et les échalotes. Éplucher et écraser l'ail.

• Dans une cocotte en fonte, faire chauffer le beurre, faire revenir les oignons et les échalotes émincés. Quand ils sont bien fondus et dorés, ajouter les morceaux de morgate, les faire revenir environ 5 min.

• Flamber avec le lambic.

• Mouiller avec le muscadet.

• Ajouter les tomates pelées, épépinées, coupées en gros morceaux et l'ail. Assaisonner de sel, poivre et ajouter un morceau de sucre.

• Couvrir et cuire à feu doux 30 min.

• La sauce doit bien envelopper les morceaux de morgate. Vérifier l'assaisonnement.

• Servir bien chaud.

Ragoût
de Saint-Cast

Pour 6 personnes

1,5 KG DE POISSON À CHAIR FERME (CONGRE, GRONDIN, VIEILLE)
1,5 KG DE POMMES DE TERRE • 2 GROS OIGNONS • 3 ÉCHALOTES • 10 CL DE VIN BLANC
100 G DE BEURRE • 1 PETIT BOUQUET GARNI • SEL, POIVRE DU MOULIN

• Éplucher les pommes de terre et les laver. Les essuyer et les couper en tranches minces.

• Éplucher les oignons et les émincer finement.

• Éplucher les échalotes et les ciseler.

• Faire lever les filets du poisson par votre poissonnier. Cette opération est facultative : il est possible de cuire les poissons en tronçons.

• Prendre une grande terrine en terre ou en porcelaine avec un couvercle. La beurrer grassement et y mettre une couche de pommes de terre, une couche d'oignons et d'échalotes, les filets de poissons ou les tronçons suivant votre goût. Assaisonner de sel et poivre du moulin.

• Remettre une couche d'oignons et d'échalotes, une couche de pommes de terre et le bouquet garni. On peut faire plusieurs couches.

• Couvrir d'eau et de vin blanc afin que liquide dépasse de 1 cm au-dessus des pommes de terre. Couvrir et mettre au four 2 h à 200 °C (th. 6/7).

Cette recette est typique de la gastronomie des ports de pêches. On peut varier les poissons à l'infini, suivant la pêche.

Ragoût de vieille
aux petits pois

Pour 4 personnes

2 vieilles de 750 g • 1,5 kg de petits pois • 20 petits oignons
10 petites carottes nouvelles • 1 petit cœur de laitue • 200 g de beurre
1 petit bouquet de sarriette • Sel, poivre du moulin

- Écailler, vider les deux vieilles. S'assurer qu'il ne reste aucune écaille et les couper en morceaux.
- Écosser les petits pois.
- Éplucher les petits oignons.
- Éplucher et couper en rondelles les carottes nouvelles.
- Bien nettoyer le cœur de laitue et le couper en quatre.
- Mettre 30 cl d'eau dans une cocotte, ajouter les petits pois, les carottes nouvelles coupées en rondelles, les petits oignons, le cœur de laitue coupé en quatre, le bouquet de sarriette et le beurre. Saler et poivrer.
- Couvrir et porter à ébullition.
- Dès qu'elle est atteinte, baisser la chaleur pour avoir une toute petite ébullition.
- Laisser mijoter 20 min.
- Assaisonner de sel et poivre les morceaux de vieille.
- Les mettre dans la cocotte de petits pois.
- Laisser cuire de nouveau 20 min et servir.

Les viandes

Pâté de lapin

Pour une grande terrine

1 lapin de 2 kg • 800 g de poitrine de porc bien entrelardée • 10 cl d'eau-de-vie
1 bouquet garni • 1 cuillerée à soupe d'huile • 1 pincée de thym
Quelques tiges de ciboule ciselées • 18 g de sel
Bouillon : 1 pied de porc • 1 carotte • 1 oignon • 2 échalotes • 1 gousse d'ail
50 cl de vin blanc • Quelques grains de poivre • 5 g de poivre

• Désosser le lapin en prenant soin de ne pas casser les os. Faire trois parts : les os (y compris la tête) ; les filets du râble et des cuisses ; les chairs des pattes avant, les parures des râbles, des cuisses et les abats.

• Couper les filets du râble et des cuisses en gros dés. Les mettre à mariner avec l'huile, 2 cuillerées à soupe d'eau-de-vie, le thym et la ciboule.

• Mettre les os et nerfs de lapin dans une cocotte avec le pied de porc. Couvrir d'eau, saler, porter à ébullition et écumer. Ajouter le vin, les légumes, le poivre et le bouquet garni. Cuire 1 h. Passer le bouillon de lapin.

• Récupérer et décortiquer les chairs du pied de porc et les chairs du lapin restant sur les os si vous ne l'avez pas trop bien désossé.

• Hacher à la machine la poitrine de porc, ainsi que les chairs des pattes avant, les parures des râbles, des cuisses, les abats, les chairs du pied de porc et les chairs de lapin récupérées. Bien mélanger le hachis, ajouter les chairs marinées et la marinade ainsi que l'eau-de-vie restante. Ajouter 30 cl de bouillon de lapin. Assaisonner.

• Mettre une feuille de laurier au fond de la terrine et la remplir de la farce. Poser le couvercle. Mettre la terrine dans une plaque à bords assez hauts et remplie d'eau. La cuire au four pour 1 h 30 à 180 °C (th. 6).

• Sortir la terrine du four, ôter le couvercle et arroser avec 20 cl de bouillon de lapin. Laisser refroidir sans le couvercle. Déguster le lendemain.

Pâté de campagne

Pour une grande terrine

500 g de foie de porc • 200 g de gras de porc • 1 kg de gorge de porc

200 g de cœur de porc • 200 g de d'échine • 2 œufs • 3 oignons moyens

1 gousse d'ail • 25 cl de lait • Persil haché • 1 crépine

Assaisonnement : 18 g de sel • 5 g de poivre

• Passer toutes les viandes au hachoir ainsi que les oignons, le persil et l'ail.

• Bien mélanger en ajoutant le lait, les œufs et l'assaisonnement.

• Remplir la terrine et recouvrir de la crépine.

• Mettre à cuire au four durant 2 h 30 : à 220 °C (th. 6/7) au départ, pendant 5 à 10 min, puis à 120 °C (th. 4) ensuite.

• Laisser refroidir puis mettre au réfrigérateur pendant 12 h.

• Servir dans la terrine, accompagné de pain de campagne et de cornichons.

Jarret de porc
au cidre

Pour 4 personnes

2 GROS JARRETS DE PORC DEMI-SEL (PRIS DANS LE JAMBON)
OU 4 PETITS JARRETS DEMI-SEL PRIS DANS L'ÉPAULE • 1 GROS OIGNON • 1 CAROTTE
1 BOUQUET GARNI • 1 KG DE PETITES POMMES DE TERRE, • 200 G D'ÉCHALOTES
200 G DE PETITS OIGNONS • 2 GOUSSES D'AIL • 1 BOUTEILLE DE CIDRE

La veille

• Mettre les jarrets à dessaler une nuit dans l'eau froide.

Le jour même

• Mettre les jarrets à cuire pendant 2 h à l'eau frémissante avec l'oignon, la carotte et le bouquet garni.

• Éplucher les pommes de terre, les oignons et les échalotes.

• Mettre dans une cocotte assez grande les jarrets, puis, autour, les pommes de terre, les échalotes, les petits oignons, et l'ail non épluché.

• Arroser avec la bouteille de cidre et 1 l de cuisson de jarret.

• Assaisonner de sel et poivre (légèrement).

• Mettre au four 200 °C (th. 6/7) pendant 1 h.

• Arroser les jarrets pendant la cuisson.

• Vérifier la cuisson des pommes de terre et l'assaisonnement.

• Servir tel quel dans la cocotte fumante et embaumant toute la maison.

Boudin blanc

500 g de chair maigre de porc • 800 g de lard gras frais
100 g de beurre • 4 œufs battus • 3 oignons • 50 cl de lait
1 clou de girofle • Épices • 1 boyau

- Faire bouillir dans le lait avec les oignons et clou de girofle pendant 10 min.
- Hacher ensemble le maigre de porc et le lard.
- Ajouter les quatre œufs battus, le sel, le poivre et les épices. Bien mélanger.
- Ajouter le lait peu à peu.
- Entonner dans un beau boyau, nouer tous les 20 cm.
- Cuire doucement à l'eau chaude 45 min sans bouillir.
- Une fois les boudins pochés et refroidis, les piquer avec une aiguille, les envelopper chacun dans du papier sulfurisé beurré avec deux ou trois quartiers de pomme et faire cuire doucement au gril.

Potée du pays gallo

Pour 8 personnes

600 G DE LARD DEMI-SEL • 6 SAUCISSES • 1 PETIT SAUCISSON FUMÉ • 3 CAROTTES
1 OIGNON • 3 BLANCS DE POIREAU • 2 PETITS CHOUX FRISÉS
10 POMMES DE TERRE MOYENNES • 100 G DE BEURRE

• Blanchir les choux coupés en quatre, les rafraîchir et égoutter. Ôter toutes les grosses côtes, ne garder que le vert.

• Faire tomber dans une cocotte l'oignon émincé dans le beurre, y ajouter les blancs de poireau (coupés en fûts de 4 cm environ), les choux, les carottes coupées en rondelles.

• Joindre le lard, couvrir et laisser cuire en faisant bien attention que la potée n'accroche pas. Ajouter un peu d'eau seulement si nécessaire.

• Après 45 min de cuisson, ajouter le saucisson et les saucisses.

• Assaisonner (attention, le lard est salé). Laisser cuire 45 min.

• Ajouter les pommes de terre pour 30 min de cuisson.

• Servir bien chaud. Le chou doit être bien fondant, il ne doit avoir que très peu de jus : un jus corsé et parfumé, contrairement à toutes ces potées au chou délavées par un mouillement trop important.

Gigot d'agneau
à la bretonne

Pour 8 personnes

1 GIGOT D'AGNEAU DE 2,500 KG • 1 KG DE HARICOTS DEMI-SECS (ÉCOSSÉS)
200 G DE CAROTTES • 20 PETITS OIGNONS • 100 G DE NAVETS
100 G DE BEURRE • 1 PETIT BOUQUET GARNI

La veille

• Mettre les haricots à tremper pendant une nuit.

Le jour même

• Égoutter les haricots et les mettre dans une marmite, couvrir d'eau environ 3 cm au-dessus des haricots.

• Porter à ébullition, écumer.

• Ajouter les petits oignons, les carottes et navets émincés, le bouquet garni. Laisser cuire tout doucement pendant 1 h 30, mais ne pas saler maintenant.

• Pendant ce temps, assaisonner le gigot, le piquer à l'ail (facultatif), le beurrer et mettre à four chaud pendant 45 min.

• Ne pas oublier de l'arroser régulièrement avec un peu d'eau.

• Quand les haricots sont cuits, assaisonner et mettre dans un grand plat en terre.

• Poser le gigot sur les haricots, l'arroser de son jus et mettre au four pendant 20 min.

Il est préférable d'utiliser de l'eau de source pour la cuisson des haricots, le chlore ayant tendance à durcir les haricots à la cuisson.

Paupiettes de veau
aux girolles

Pour 6 personnes

6 ESCALOPES DE VEAU D'ENVIRON 150 G PIÈCE • 300 G DE CHAIR À SAUCISSE
50 G DE MIE DE PAIN • 5 CL DE LAIT • 100 G DE BEURRE • 10 CL DE PORTO
1 TRAIT DE COGNAC • 10 CL DE BOUILLON DE BŒUF • 20 CL DE CRÈME FRAÎCHE
500 G DE GIROLLES • 1 PETIT BOUQUET DE CIBOULETTE • 1 BRANCHE DE PERSIL • SEL ET POIVRE

• Mettre la mie de pain à tremper dans le lait. Ciseler la ciboulette et hacher le persil. Mélanger la mie de pain trempée avec la chair à saucisse, la ciboulette, le persil et un trait de cognac. Assaisonner.

• Étaler les escalopes de veau, les battre légèrement si nécessaire pour les aplatir. Diviser la farce en six parties. Poser une part de farce sur chaque escalope. Étaler la farce.

• Rouler les escalopes sur elles-mêmes en enfermant bien la farce à l'intérieur. Ainsi roulée l'escalope ressemble à un gros bouchon. Les ficeler comme un petit paquet.

• Prendre une cocotte assez large et faire revenir les paupiettes au beurre mousseux. Quand elles sont bien dorées, déglacer avec le porto et mouiller avec le bouillon de volaille.

• Couvrir et faire cuire 30 min.

• Laver et nettoyer attentivement les girolles. Bien les égoutter dans une passoire.

• Après 30 min de cuisson des paupiettes, ajouter la crème.

• Faire reprendre l'ébullition et ajouter les girolles.

• Couvrir et faire cuire à nouveau 30 min. Vérifier l'assaisonnement.

• Dresser dans le plat de service, si toutefois la sauce était un peu trop liquide, la faire réduire quelques minutes.

Kig ha fars
du pays léonard

Pour 8 personnes

500 G DE FARINE DE BLÉ NOIR • 150 G DE BEURRE • 500 G DE JARRET DE BŒUF
500 G DE MACREUSE • 750 G DE LARD • 5 CAROTTES • 3 POIREAUX • 1 PETIT RUTABAGA
1 BRANCHE DE CÉLERI • 1 CUILLERÉE À SOUPE DE SEL • 2 ŒUFS • 10 CL DE CRÈME

• Mettre dans une marmite à pot-au-feu le jarret de bœuf, la macreuse, le lard. Recouvrir d'eau et amener doucement à ébullition en écumant souvent.

• Délayer dans une grande jatte la farine avec l'œuf, la crème, le beurre fondu, le sel et 70 cl de bouillon de pot-au-feu pour obtenir une pâte assez fluide.

• Verser dans le sac et le fermer avec une ficelle en faisant bien attention de laisser un petit espace pour que la pâte puisse gonfler.

• Mettre le sac dans la marmite de pot-au-feu, laisser cuire 1 h.

• Ajouter les légumes taillés en morceaux assez gros et prolonger la cuisson de 2 h.

• Sortir le sac de la marmite, le rouler dans tous les sens sur la table de façon à émietter le far en gros grains (bruzuner).

• Mettre le far au milieu d'un grand plat, disposer la viande et les légumes autour.

Kig ha fars
du pays capiste

Pour 8 personnes

LE FAR : 500 G DE FARINE DE FROMENT • 30 CL DE LAIT • 50 G DE SUCRE
2 ŒUFS • 2 JAUNES D'ŒUFS • 50 CL D'EAU
LE POT-AU-FEU : 1 KG DE PLAT DE CÔTES • 500 G DE PALERON • 1 JARRET DE PORC DEMI-SEL
5 CAROTTES • 3 POIREAUX • 1 PETIT CHOU • 300 G DE HARICOTS BLANCS
1 BRANCHE DE CÉLERI • 1 CUILLERÉE À SOUPE DE SEL

• Dans une marmite assez grande, mettre de l'eau à chauffer. Quand le doigt ne supporte plus la chaleur de l'eau, mettre les trois sortes de viande. Saler et amener doucement à ébullition en écumant souvent.

• Éplucher et laver tous les légumes.

• Ajouter les légumes taillés en morceaux assez gros, cuire 30 min.

• Pendant ce temps, préparer la pâte du far : délayer dans une grande jatte, la farine avec les œufs, le lait, le sel et 50 cl d'eau ou bouillon de pot-au-feu pour obtenir une pâte assez fluide.

• Verser dans le sac en toile de lin, remplir aux deux tiers, le fermer avec une ficelle.

• Mettre le sac dans la marmite de pot-au-feu, laisser cuire 1 h 30.

• Sortir le sac de la marmite et le laisser refroidir 15 min (faire rider). Démouler et couper en tranches épaisses.

• Mettre les tranches de far au milieu d'un grand plat, disposer la viande coupée en morceaux et les légumes autour.

71

Volaille rôtie
au far

Pour 8 personnes

1 BELLE VOLAILLE DE 2,5 KG VIDÉE ET PRÊTE À CUIRE • 75 CL DE LAIT • 250 G DE FARINE
50 G DE SUCRE EN POUDRE • 100 G DE BEURRE • 4 ŒUFS FRAIS
75 G DE RAISINS DE MALAGA • 100 G DE PRUNEAUX

• Casser les œufs entiers, mélanger le sucre, la farine dans un saladier, bien travailler le mélange.

• Ajouter le lait bouillant dans lequel on a mis le morceau de beurre. Bien délayer et remettre en cuisson jusqu'à ce que la pâte soit bien compacte.

• Ajouter les pruneaux et les raisins et laisser refroidir.

• Mettre le far dans la volaille. Bien la brider et mettre la volaille à rôtir environ 1 h.

• Pour le service, on sert un morceau de volaille à chaque convive avec une cuiller de far que l'on arrose de jus et une bonne salade.

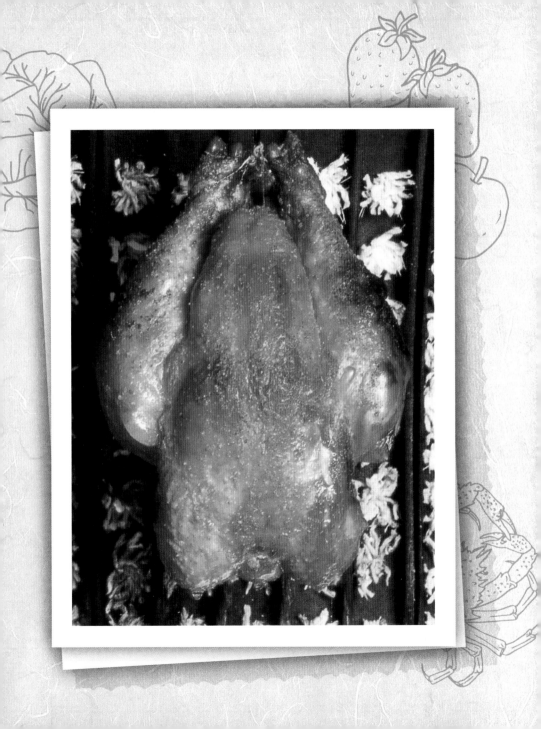

Blanquette
bretonne

Pour 6 personnes

1 BELLE POULETTE • 3 QUEUES DE VEAU • 1 CAROTTE • 1 OIGNON • 1 PETIT POIREAU
1 BRANCHE DE CÉLERI • 20 PETITS OIGNONS • 300 G DE CHAMPIGNONS • 100 G DE BEURRE
60 G DE FARINE • 30 CL DE CRÈME FRAÎCHE • 3 JAUNES D'ŒUFS

- Couper les queues de veau de façon à avoir environ six à huit morceaux.

- Couper la poulette pour avoir également six à huit morceaux.

- Placer les morceaux dans une casserole au fond épais.

- Couvrir d'eau fraîche et ajouter carotte, oignon, le bouquet garni, branche de céleri et poireau. Assaisonner et porter à ébullition.

- Cuire lentement en écumant, pendant 1 h.

- D'autre part, faire fondre le beurre dans une casserole, puis ajouter la farine.

- Laisser cuire quelques minutes et mouiller ce roux avec 1 l de cuisson (poulette, queue de veau).

- Bien mélanger et laisser cuire doucement cette sauce.

- Ajouter les jaunes détendus avec la crème. Faire chauffer mais attention, cette sauce ne doit plus bouillir.

- Disposer les morceaux de poule et de queue de veau dans la sauce.

- Ajouter alors les petits oignons et les champignons cuits dans un peu de la cuisson. Revoir l'assaisonnement.

- Servir dans un joli légumier.

Canard aux raves

Pour 6 personnes

1 CANARD NANTAIS • 50 G DE BEURRE • 15 PETITS OIGNONS • 15 PETITS NAVETS
1 BOULE DE CÉLERI-RAVE • 2 GOUSSES D'AIL ENTIÈRES AVEC PEAU • 10 CL DE VIN BLANC
30 CL DE BOUILLON DE VOLAILLE • 1 MORCEAU DE SUCRE

• Flamber le canard bien comme il faut. Il ne doit rester aucune petite plume ou duvet. Le vider et le brider.

• Éplucher et tailler les navets de la forme d'un gros bouchon.

• Faire de même avec le céleri-rave.

• Éplucher les petits oignons.

• Faire dorer le canard au beurre dans une cocotte.

• L'ôter et faire dorer les petits oignons dans le même beurre.

• Ajouter les gousses d'ail non épluchées ainsi que les bouchons de navet et de céleri.

• Quand les légumes sont bien dorés, déglacer avec le vin blanc.

• Mouiller avec le bouillon de volaille.

• Ajouter le morceau de sucre, amener à ébullition.

• Poser le canard au centre du récipient.

• Mettre au four pour 45 min sans couvercle.

• Servir soit tel quel dans la cocotte, soit en disposant le canard au centre du plat entouré de sa garniture.

Les légumes et accompagnements

Chou farci

Pour 4 personnes

1 BEAU CHOU FRISÉ • 300 G DE CHAIR À SAUCISSE • 1 CUISSE DE LAPIN
1 PETIT BOUQUET DE CIBOULETTE • 1 PETIT ŒUF • 1 PETITE COUENNE
1 L DE BOUILLON DE POT-AU-FEU • SEL ET POIVRE

• Blanchir le chou 10 min à l'eau bouillante. Rafraîchir et égoutter.

• Étaler les feuilles sur un torchon en faisant bien attention d'ôter les côtes pour ne conserver que la partie tendre.

• Désosser la cuisse de lapin et la couper en gros dés.

• Mélanger la chair à saucisse, la chair du lapin, l'œuf et la ciboulette ciselée. Assaisonner.

• Prendre un saladier d'un diamètre de 20 cm.

• Beurrer le saladier et le tapisser de feuilles de chou (les plus grandes d'abord).

• Mettre une couche de farce, puis de nouveau une couche de feuilles de chou et ainsi de suite.

• Il faut terminer de farcir le chou par une couche de chou et non de farce. Bien fermer le chou et tasser légèrement.

• Mettre la couenne dans le fond de la cocotte, retourner le saladier sur la couenne.

• Arroser avec le bouillon de pot-au-feu, et mettre au four à 180 °C (th. 6) pendant 3 h.

• Le chou doit être confit et particulièrement odorant.

• On peut, suivant la saison, ajouter quelques châtaignes ou quelques quartiers de pomme à la farce.

Gratin de chou-fleur
aux moules

Pour 4 personnes

1 KG DE MOULES • 10 CL DE VIN BLANC • 1 CHOU-FLEUR • 20 CL DE CRÈME FRAÎCHE
1 JAUNE D'ŒUF • 30 G DE FARINE • 50 G DE BEURRE • 50 G DE FROMAGE RÂPÉ • SEL ET POIVRE

• Nettoyer et laver les moules puis bien les égoutter dans une passoire.

• Mettre le vin blanc dans une casserole avec les moules, couvrir. Porter à ébullition et faire ouvrir les moules.

• Décortiquer les moules et passer le jus à la passoire fine.

• Nettoyer et laver le chou-fleur. Le cuire à la vapeur.

• Quand il est cuit, découper les jolis bouquets pour le gratin. Réserver les parures.

• Faire fondre le beurre dans une casserole, ajouter la farine et bien délayer avec une spatule en bois. Mouiller avec le jus des moules.

• Amener à ébullition, ajouter la crème fraîche et les parures de chou-fleur.

• Laisser cuire 10 min.

• Mixer la sauce et les parures afin de les rendre bien homogènes.

• Passer la sauce au chinois pour éliminer les impuretés.

• Assaisonner et lier avec le jaune d'œuf.

• Répartir les bouquets de chou-fleur et les moules dans un plat à gratin.

• Napper avec la sauce et saupoudrer de fromage râpé.

• Mettre au four à 220 °C (th. 7/8) pendant 10 min. Il doit être recouvert d'une croûte dorée.

• Servir bien chaud.

Fricassée
d'artichauts

Pour 4 personnes

4 GROS ARTICHAUTS (« CAMUS DE SAINT-POL-DE-LÉON ») • 1 CITRON
15 PETITS OIGNONS • 1 BOUTEILLE DE CIDRE • 150 G DE BEURRE
1 PETIT BOUQUET GARNI (PERSIL, SAUGE, SARRIETTE, THYM, LAURIER)

• Ôter les grosses feuilles de la base et couper les artichauts en huit.

• Prendre chaque morceau d'artichaut et, à l'aide d'un petit couteau, enlever les feuilles et le foin de façon à ne conserver que le fond de l'artichaut.

• Conserver les petits morceaux de fonds d'artichaut dans de l'eau citronnée.

• Éplucher les petits oignons. Les faire revenir au beurre en faisant attention de ne pas les brûler.

• Quand ils sont bien revenus, mouiller avec la bouteille de cidre et ajouter le bouquet garni.

• Porter à ébullition.

• Ajouter les fonds d'artichaut, assaisonner.

• Couvrir et laisser cuire 20 min.

Galettes
de pommes de terre

Pour 4 personnes

1 KG DE POMMES DE TERRE • 250 G DE BEURRE • 2 ŒUFS • 125 G DE FARINE

- Éplucher et laver les pommes de terre.
- Les mettre à cuire à l'eau légèrement salée.
- Aussitôt cuites, les égoutter et les passer au moulin à purée.
- Ajouter 150 g de beurre, bien travailler.
- Ensuite, ajouter les deux œufs et les 125 g de farine.
- Bien travailler la pâte à la spatule.
- Faire chauffer le reste de beurre à la poêle et déposer dans le beurre bien mousseux des petites galettes de pomme de terre.
- Quand elles sont bien dorées, les retourner. Faire dorer également l'autre côté.
- Ces petites galettes se servent en accompagnement de beaucoup de viandes. On peut également les servir recouvertes d'un œuf au plat ou d'une petite saucisse.

Pommes de terre
aux poireaux

Pour 4 personnes

1 KG DE POMMES DE TERRE • 500 G DE POIREAUX • 1 GROS OIGNON • 20 G DE SAINDOUX
10 CL DE BOUILLON • 10 CL DE CIDRE • 20 G DE BEURRE • SEL ET POIVRE

• Fendre les poireaux en deux et les laver à grande eau. Les couper grossièrement.

• Hacher l'oignon.

• Faire chauffer le saindoux dans une casserole et y jeter les poireaux et l'oignon.

• Mouiller légèrement et laisser cuire à l'étouffée pendant 10 min.

• Peler les pommes de terre et les couper en fines tranches.

• Les disposer dans une cocotte en couches alternées avec le hachis de poireaux, en commençant et en terminant par une couche de pommes de terre.

• Mouiller à mi-hauteur avec le bouillon et le cidre.

• Saler légèrement, poivrer et faire mijoter 30 min à couvert.

• Parsemer le dessus avec des noisettes de beurre.

• Mettre au four chaud à 250 °C (th. 8/9) et laisser dorer pendant 10 min environ.

Omelette
aux sardines

Pour 4 personnes

10 ŒUFS • 6 SARDINES • 50 G DE BEURRE

- Nettoyer les sardines.
- Lever les filets.
- Casser les œufs, saler et poivrer, et les battre en omelette.
- Faire cuire les sardines à la poêle dans très peu de beurre.
- Émietter les filets avec une fourchette.
- Ajouter les œufs et confectionner comme une omelette classique.
- Bien la rouler et servir avec une bonne salade.

Galettes de blé noir

750 G DE FARINE DE BLÉ NOIR • 250 G DE FARINE DE FROMENT
2 L DE LAIT • 1 PINCÉE DE GROS SEL • 100 G DE SAINDOUX

• Délayer les deux farines avec le lait. Vous devez avoir une pâte assez fluide.

• Laisser reposer quelques heures (idéalement une nuit).

• Rouler un petit morceau de tissu en forme de bouchon et l'attacher avec une ficelle.

• Faire tremper le bout de ce tampon dans le saindoux fondu.

• Graisser une galetoire en fonte avec le tampon et faire bien chauffer.

• Quand la graisse fume, verser une louche de pâte.

• L'étaler en inclinant la galetoire dans un mouvement circulaire du poignet.

• Cuire environ 2 min jusqu'à ce que le centre ne soit plus liquide.

• La retourner à l'aide d'une spatule en bois (fine et en buis).

• Aussitôt retournée, la beurrer et la plier en quatre. Servir de suite.

• Si vous ne consommez pas les galettes de suite, il ne faut pas les beurrer : les beurrer uniquement au moment de les réchauffer sur la galetoire.

Quelques garnitures
de galettes de blé noir

La fameuse galette saucisse :

• Faire griller une saucisse et la mettre dans une galette de blé noir chaude et légèrement beurrée.

• Plier en quatre sur la saucisse.

Lard et œuf :

• Mettre sur une galette beurrée deux fines tranches de lard et casser un œuf.

• Faire légèrement chanter le lard, replier la galette de façon à enfermer le lard et l'œuf.

• Retourner la crêpe, laisser 1 min et servir immédiatement.

Saumon fumé :

• Poser sur une galette beurrée deux tranches de saumon fumé.

• Plier et servir avec une crème fouettée à l'aneth.

Andouille :

• Mettre sur une galette beurrée trois tranches d'andouille de très bonne qualité, deux tranches de pomme sur les tranches d'andouille.

• Plier, retourner, laisser 1 min et servir bien chaud.

Jambon fromage :

• Poser une tranche de jambon sur une galette beurrée, couvrir de fromage râpé.

• Plier, retourner, laisser 1 min et servir bien chaud.

Pain au lait ribot

Pour 2 pains

1 KG DE FARINE DE FROMENT • 10 G DE SUCRE • 600 G DE LAIT RIBOT
20 G DE LEVURE DE BOULANGER • 15 G DE SEL

- Mettre dans le bol d'un petit batteur électrique, la farine, la levure et le lait ribot.
- Pétrir avec le crochet et laisser tourner environ 10 min à vitesse très lente.
- Ajouter le sucre et le sel.
- Pétrir encore 5 min, la pâte doit se décoller du bassin tout en étant assez molle.
- Mettre la pâte dans un saladier suffisamment grand, couvrir d'un linge et laisser reposer 1 h. Attention, la pâte va doubler de volume.
- Au bout de 1 h, rabattre la pâte et la travailler un peu à la main.
- Faire deux boules de pâte d'environ 800 g, leur donner une forme de pain assez long et les mettre sur une plaque à pâtisserie.
- Laisser lever dans un endroit tempéré pendant 1 h.
- Avant de cuire le pain, faire quelques incisions avec un petit couteau.
- Cuire à 220 °C (th. 7/8) environ 45 min.

Cerises au vinaigre

1 kg de cerises (assez grosses et bien rouges) • 1 l de vinaigre de vin
200 g de sucre de préférence roux • 5 clous de girofle • 1 bâton de cannelle
1 écorce d'orange • 10 g de poivre en grains

• Laver les cerises à l'eau, bien les égoutter et les mettre sur un torchon afin de supprimer toutes traces d'humidité.

• Faire bouillir de l'eau dans une casserole, la verser bouillante dans un bocal de 1 l.

• Jeter l'eau du bocal et le retourner sur un torchon plié en quatre.

• Ébouillanter également le joint du bocal.

• Couper les queues des cerises à environ 1 cm.

• Les ranger dans le bocal de façon agréable à l'œil en alternant les condiments.

• Mettre le vinaigre de vin à bouillir avec le sucre.

• Le verser bouillant sur les cerises, fermer le bocal hermétiquement et mettre en cave pendant 2 mois avant consommation.

C'est un excellent accompagnement pour la charcuterie ou la viande froide, mais on peut également les consommer à l'apéritif.

Les laitages
et desserts

Lait posé

Pour 4 personnes

2 L DE LAIT FRAIS • CRÈME • SUCRE

La veille

• Faire cailler 2 l de lait dans un pot en grès, épais et large, ce qui se fait sans problème l'été.

• Tenir le pot dans un endroit tempéré pendant quelques heures.

• Lorsque le lait est caillé et bien ferme, enlever la crème avec précaution et faire égoutter le lait dans une mousseline. Il faut environ une nuit d'égouttage.

Le jour même

• Mettre le lait égoutté dans une jatte en grès, ajouter la crème et le sucre et fouetter le tout de façon à avoir une crème légère et onctueuse.

• Servir bien frais.

Le lait posé est une recette traditionnelle du Morbihan également appelée lait battu en Loire-Atlantique. La condition majeure de cette recette est d'avoir un lait de très bonne qualité (les vaches ne doivent avoir mangé que de la bonne herbe et pas d'ensilage).

Lait cuit

POUR 4 PERSONNES

2 L DE LAIT FRAIS • CRÈME • SUCRE

• Faire cailler 2 l de lait frais dans un pot en grès, épais et large, ce qui se fait sans problème l'été. Tenir le pot dans un endroit tempéré pendant quelques heures.

• Lorsque le lait est caillé et bien ferme, enlever la crème avec précaution. Et contrairement aux autres recettes, ne surtout pas l'égoutter.

• Mettre le pot dans une marmite pleine d'eau au bain-marie. Maintenir un feu très doux et compter 7 min de cuisson à partir de l'ébullition.

• Quand il est cuit, le mettre à égoutter dans une mousseline, et le laisser bien refroidir, il faut qu'il soit très frais.

• Verser dessus la crème après l'avoir fouettée. Si vous n'en avez pas assez, vous pouvez ajouter de la crème fraîche. Le lait cuit exige un accompagnement généreux.

• Servir avec du sucre semoule.

Caillebottes

Pour 4 personnes

2 L DE LAIT FRAIS • 1 NOUET DE CHARDONNETTE

• Mettre dans une jatte en grès 2 l de lait auxquels vous ajoutez un nouet de chardonnette (foin d'artichaut séché que l'on enferme dans un petit carré de tissu de la grosseur d'un petit œuf).

• Laisser infuser environ 15 min en pressant bien pour en extraire le jus.

• Mettre la jatte de lait près d'une source de chaleur de façon à amener le lait à une température de 35°.

• Quand on voit se former une ligne autour de la jatte et l'eau apparaître, retirer, et au bout de 5 min, faire quelques coupures pour former les cailles.

• Ces caillebottes se servent froides. On les prépare le soir pour le lendemain et on les tient dans un endroit très frais.

• Si les caillebottes sont accompagnées d'une crème, les convives se servent avec une cuiller à trous pour ne pas prendre de petit-lait.

Crémet
du pays nantais

Pour 4 personnes
2 l de lait frais • 50 cl de crème • 3 blancs d'œufs • Sucre

• Faire cailler le lait comme pour le lait posé puis l'égoutter environ 12 h sur une mousseline fine.

• Mélanger le même poids de crème fraîche et monter comme une crème fouettée. Avec les blancs d'œufs.

• Ensuite mettre à égoutter dans une mousseline.

• Puis servir avec du sucre.

Œufs au lait

Pour 4 personnes

7 œufs • 150 g de sucre semoule • 50 g de sucre vanillé • 1 l de lait entier

• Faire bouillir le litre de lait.

• Casser les œufs entiers dans un saladier et bien mélanger au fouet avec les différents sucres.

• Verser le lait bouillant et mélanger énergiquement.

• Mettre l'appareil dans un plat creux allant au four.

• Glisser le plat au four pour 45 min à une température d'environ 90 °C (th. 3).

• Si toutefois il vous est impossible de mettre votre four à une température aussi basse, il est préférable de cuire vos œufs au lait au bain-marie. C'est-à-dire de mettre votre plat d'œufs au lait dans une plaque plus grande avec de l'eau dedans. Régler la température du four à environ 150 °C (th. 5). Les œufs sont cuits quand l'appareil n'est plus liquide mais bien tremblotant.

Tout le goût des œufs au lait tient dans la qualité des œufs et du lait. Nous avons beaucoup de mal à retrouver ce plaisir d'enfance dans les œufs au lait d'aujourd'hui, le lait étant pasteurisé écrémé ou à demi écrémé. Il ne ressemble en rien au lait entier que l'on trouve dans les fermes. Quant aux œufs, les vrais œufs de ferme, ils sont beaucoup plus riches, au point qu'une recette avec douze œufs d'élevage se réalise sans problème avec dix œufs de ferme. Et la recette réalisée avec les œufs de ferme est encore d'une couleur plus jaune. Mais attention, il existe beaucoup de resquilleurs sur la provenance des œufs.

Crème d'avoine

Pour 6 personnes

1,5 L DE LAIT • 50 CL DE CRÈME FLEURETTE • 200 G D'AVOINE
12 JAUNES D'ŒUFS • 180 G DE SUCRE

• Mettre l'avoine sur une plaque et la torréfier au four à 210 °C (th. 7) pendant 20 min. L'avoine doit être torréfiée comme du café.

• Mettre le lait à bouillir. Le verser sur l'avoine grillée.

• Laisser reposer le tout 3 h, puis égoutter l'avoine en gardant le lait.

• Mélanger le sucre, les jaunes d'œufs. Ajouter le lait avoine après l'avoir passé à la passoire fine, puis la crème fleurette. Mettre le tout à cuire 1 h au four à 120 °C (th. 4), dans un plat en porcelaine. L'épaisseur de la crème ne doit pas dépasser 1,5 cm.

• Bien surveiller la cuisson. Lors que la crème semble prise, l'ôter du four. Il faut qu'elle soit légèrement « tremblotante ».

• Laisser refroidir.

• Recouvrir de cassonade et passer 1 min sous la voûte du four.

Far breton

Pour 8 personnes

1 L DE LAIT • 250 G DE FARINE • 200 G DE SUCRE EN POUDRE • 6 ŒUFS

120 G DE RAISINS DE MALAGA • 150 G DE PRUNEAUX • 1 CUILLERÉE À SOUPE DE RHUM

• Casser les œufs entiers dans un saladier, mélanger le sucre et bien travailler le mélange jusqu'à ce qu'il blanchisse.

• Ajouter la farine, bien travailler le mélange pour qu'il n'y ait pas de grumeaux.

• Puis ajouter le litre de lait froid.

• Bien délayer, la pâte doit être fluide et sans grumeaux.

• Verser la préparation dans un moule beurré, ajouter les raisins et les pruneaux dénoyautés.

• Mettre à cuire à four moyen à 170 °C (th. 5/6) 1 h environ.

• Démouler lorsque c'est froid.

Crêpes bretonnes

500 G DE FARINE • 1 CUILLERÉE À SOUPE DE FARINE DE SARRASIN • 1 PINCÉE DE SEL
250 G DE SUCRE • 3 ŒUFS • 50 G DE BEURRE • 1,25 L DE LAIT • 100 G DE SAINDOUX

• Délayer les deux farines avec les œufs, le sucre, le beurre fondu, le sel et le lait. Vous devez avoir une pâte assez fluide.

• Laisser reposer quelques heures (idéalement une nuit).

• Mettre à chauffer le pillig (plaque en fonte que l'on met dans la cheminée ou sur le feu).

• Le graisser avec le bouchon de saindoux.

• Verser une louche de pâte et étaler la pâte avec le rozell (raclette en bois qui sert à étaler la pâte) : il faut pour cela décrire deux « C » avec le poignet un à l'endroit l'autre à l'envers. Si possible le premier à l'envers en allant vers la droite, le second à l'endroit en allant vers la gauche.

• Dès que la pâte n'est plus liquide, retourner avec l'askelleden (latte en bois de buis qui sert à retourner les crêpes).

• Beurrer immédiatement, sucrer et plier en portefeuille.

• Servir bien chaud et krasée (croustillante).

Voilà la recette des crêpes que se sont transmise des générations de Bretonnes pendant des années. Il faut bien reconnaître qu'il n'est pas aisé de transmettre cela en quelques lignes et nous n'avons ni le costume ni la coiffe…

Michon

Pour 6 personnes

Pâte : 125 g de farine • 50 g de sucre en poudre • 3 œufs • 80 g de beurre fondu
40 cl de lait • 2 cuillerées à soupe de lambic

Garniture : 500 g de pommes (reinettes grises) • 150 g de beurre

• Mélanger tous les ingrédients de la pâte pour obtenir une pâte à crêpes bien fluide.

• Éplucher les pommes, les couper en quartiers.

• Faire sauter dans une poêle en tôle assez grande, les pommes avec 80 g de beurre.

• Quand les pommes sont bien dorées, verser la pâte à crêpes et mettre au four.

• Après 10 min de cuisson, mettre des petits flocons de beurre sur le michon, saupoudrer de sucre en poudre et mettre au four 15 min environ.

• Le michon doit être bien doré.

• Servir avec de la confiture d'abricots.

Gâteau
à la peau de lait

Pour 6 personnes

4 œufs • 200 g de sucre semoule • 2 l de lait entier (pour 200 g de peau)
200 g de farine • 1 petit sachet de levure chimique

• La peau de lait s'obtient de la façon suivante : faire bouillir 2 l de lait entier (provenant si possible d'une ferme où les vaches auront mangé de la très bonne herbe, l'ensilage donne un goût au lait). Le laisser refroidir pendant 4 ou 5 h, voire une nuit. Récupérer alors délicatement avec une cuiller la peau de lait qui se trouve à la surface. Vous êtes prêt pour réaliser le gâteau.

• Séparer les jaunes des blancs.

• Travailler les jaunes d'œufs et le sucre jusqu'à ce que le mélange soit blanc et mousseux.

• Ajouter la peau de lait, la farine et la levure chimique.

• Battre les blancs en neige bien ferme.

• Les incorporer délicatement à la pâte.

• Beurrer et fariner un moule à gâteau de 20 cm de diamètre.

• Mettre à cuire au four chaud à 200 °C (th. 6/7), environ 30 min.

Gâteau
du pays de Vannes

Pour 6 personnes

500 G DE FARINE • 4 JAUNES D'ŒUFS • 2 ŒUFS ENTIERS • 250 G DE BEURRE
150 G DE CASSONADE • 125 G DE FRUITS CONFITS

• Mettre le beurre en pommade, ajouter les jaunes d'œufs puis la cassonade.

• Incorporer la farine sans trop travailler la pâte, puis ajouter les fruits confits.

• Mettre dans un moule, pour avoir une épaisseur de 3 cm.

• Mettre à cuire au four à 180 °C (th. 6) pendant 1 h.

Soufflé
aux pommes

Pour 6 personnes

1 kg de pommes reinettes • 6 œufs • 50 g de beurre • 100 g de sucre semoule
5 biscuits à la cuiller • 10 cl de calvados

- Laver les pommes et les essuyer une à une en les équeutant.

- Les couper en quatre et les mettre dans une cocotte.

- Fermer la cocotte avec le couvercle et mettre au four pendant 1 h.

- Passer au moulin à purée. Mettre la compote de pommes dans une casserole et la faire chauffer tout doucement en ajoutant les six jaunes d'œufs.

- Monter les blancs d'œufs et ajouter 50 g de sucre semoule.

- Incorporer délicatement les blancs à la compote de pommes à l'aide d'une spatule en bois en essayant de garder un mélange le plus léger possible.

- Couper les biscuits à la cuiller en morceaux. Les arroser de calvados.

- Beurrer et sucrer un moule à soufflé.

- Mettre la moitié du mélange compote-blancs d'œufs dans le moule à soufflé.

- Mettre les biscuits imbibés de calvados et ajouter le reste de l'appareil à soufflé.

- Glisser au four pour 15 min à 200 °C (th. 6/7).

Le soufflé peut se servir avec un coulis d'abricots.

Tarte aux pommes

Pour 8 personnes

PÂTE : 250 G DE FARINE • 1 CUILLERÉE À SOUPE DE SUCRE • 150 G DE BEURRE

1 CUILLERÉE À SOUPE DE MUSCADET

GARNITURE : 500 G DE POMMES DE CHAILLEUX • 80 G DE SUCRE SEMOULE • 100 G DE BEURRE

• Préparer la pâte avec tous les ingrédients, ensuite l'étaler et foncer un moule à tarte.

• Éplucher les pommes et les couper en tranches assez fines, les ranger bien en cercle dans la tarte.

• Sucrer et mettre des petits copeaux de beurre.

• Cuire à 150 °C (th. 5) pendant 1 h.

Quatre-quarts

Pour 6 personnes

4 ŒUFS • MÊME POIDS DE SUCRE SEMOULE QUE D'ŒUFS

MÊME POIDS DE BEURRE DEMI-SEL QUE D'ŒUFS • MÊME POIDS DE FARINE QUE D'ŒUFS

1 PETIT SACHET DE LEVURE CHIMIQUE • 2 CUILLERÉES À SOUPE DE RHUM (FACULTATIF)

• Faire fondre le beurre tout doucement au coin du feu.

• Casser les œufs et séparer les jaunes des blancs.

• Mélanger les jaunes d'œufs et le sucre dans un saladier avec un fouet et travailler jusqu'à ce que le mélange soit blanc et mousseux.

• Incorporer le beurre fondu mais froid. Mettre les deux cuillerées de rhum

• Ajouter la farine dans laquelle on a mélangé le sachet de levure chimique.

• Battre les blancs en neige bien ferme. Les incorporer délicatement à la pâte à l'aide d'une spatule.

• Beurrer et fariner un moule à gâteau de 20 cm de diamètre.

• Mettre à cuire au four chaud 200 °C (th. 6/7) environ 20 min.

• Contrôler la cuisson avec la pointe d'un couteau : si la pointe ressort sèche, le quatre-quarts est cuit.

• Démouler sur une grille 30 min après la sortie du four.

Kouing Amann
de Douarnenez

Pour 2 gâteaux

850 g de pâte à pain (traditionnelle au levain)

400 g de beurre demi-sel (si possible fermier) • 400 g de sucre

• Étaler la pâte à pain avec un rouleau à pâtisserie.

• Poser le beurre (à température ambiante) sur l'abaisse. L'étaler grossièrement au centre et saupoudrer de sucre.

• Ramener les bords de la pâte vers le centre de façon à enfermer le beurre et le sucre au milieu de cette pâte.

• Abaisser en essayant de donner une forme rectangulaire.

• Plier en trois comme un mouchoir et laisser reposer 30 min.

• Faire pivoter votre pâton d'un quart de tour et abaisser de nouveau la pâte. Plier de nouveau en trois et laisser reposer 30 min.

• Renouveler une autre fois l'opération. Laisser encore reposer 30 min.

• Abaisser une dernière fois la pâte.

• Garnir deux moules à gâteau, genre moule à quatre-quarts, de 30 cm de diamètre (les moules devront être beurrés).

• Bien brosser le dessus de la pâte pour ôter l'excédent de farine.

• Pulvériser de l'eau sur le kouing amann et saupoudrer de sucre.

• Cuire à 220 °C (th. 7/8) pendant 25 min. Le kouing amann doit être caramélisé et bien doré.

Pain d'épices

Pour 8 personnes

40 CL D'EAU • 400 G DE MIEL DE BLÉ NOIR • 150 G DE SUCRE • 5 CL DE RHUM

150 G DE FARINE DE SEIGLE • 200 G DE FARINE DE FROMENT • 100 G DE FARINE DE BLÉ NOIR

ZESTE D'UN CITRON • ZESTE D'UNE ORANGE • 1 PINCÉE DE CANNELLE • 1 PINCÉE DE SEL FIN

1 PINCÉE DE NOIX DE MUSCADE • 5 CL DE RICARD • 100 G DE FRUITS CONFITS

120 G DE RAISINS DE CORINTHE • 70 G D'AMANDES EFFILÉES • 20 G DE BICARBONATE DE SOUDE

L'avant-veille

• Beurrer un moule à cake et le tapisser de papier sulfurisé en faisant dépasser légèrement les bords.

• Mélanger l'eau légèrement tiède avec le miel, le sucre et le rhum.

• Couper les fruits confits en petits dés, hacher les zestes très fins de l'orange et du citron.

• Dans un grand saladier, mettre les différentes farines, ajouter le mélange eau, sucre, miel, rhum.

• Bien mélanger le tout, pour obtenir une masse homogène, ajouter les épices, les fruits confits, le bicarbonate et le Ricard, mélanger délicatement.

• Laisser reposer au minimum 48 h au frais. Toute la qualité de votre pain d'épices en dépend. C'est ce repos qui va faire mûrir tous les parfums et donner cette saveur unique où rien ne domine, mais se fond dans un goût nouveau. Si vous faites partie des citadins « speed », il est possible de supprimer le temps de repos.

Le jour même

• Cuire dans un moule à cake 1 h à 180 °C (th. 6).

Pain perdu

3 ŒUFS • 50 CL DE LAIT • 100 G DE SUCRE CRISTAL • 50 G DE SUCRE VANILLÉ
1 CUILLERÉE À SOUPE D'EAU-DE-VIE DE POMME • 100 G DE BEURRE • 1 PAIN RASSIS

- Couper les tartines de pain d'environ 2 cm d'épaisseur.
- Faire tiédir le lait.
- Casser les œufs dans un saladier et les battre à la fourchette avec le sucre vanillé et l'eau-de-vie de pomme.
- Bien ranger les tartines de pain dans un plat creux.
- Verser dessus le lait tiède et laisser tremper 30 min.
- Les égoutter et les passer une à une dans l'œuf battu.
- Les faire cuire dans une poêle avec un beurre bien chaud (mousseux). Quand elles sont bien dorées d'un côté, les retourner et les faire dorer sur l'autre face. On peut s'aider d'une spatule ou d'une écumoire pour les retourner.
- Servir bien chaud en saupoudrant de sucre cristal.
- On peut également manger le pain perdu avec une bonne confiture.

Tchum pot

PÂTE : 1 KG DE FARINE • 1 SACHET DE LEVURE CHIMIQUE • 3 ŒUFS
25 CL DE CRÈME FRAÎCHE • 1 YAOURT NATURE
GARNITURE : 120 G DE RAISINS DE CORINTHE • 200 G DE SUCRE ROUX • 250 G DE BEURRE

• Préparer la pâte avec tous les ingrédients prévus, ensuite l'étaler et la partager en quatre.

• Mettre au milieu de chaque part 50 g de sucre roux, 60 g de beurre et 30 g de raisins de Corinthe.

• Fermer la pâte comme un chausson en mouillant les bords.

• Enrouler dans un linge fermé aux extrémités.

• Plonger dans l'eau bouillante légèrement salée, une bonne demi-heure.

• Déballer du linge et servir bien chaud avec du sucre.

Galettes bretonnes

500 g de farine • 250 g de beurre demi-sel • 250 g de sucre
3 œufs • Eau de fleur d'oranger
Dorure : 1 jaune d'œuf • 1 cuillerée à soupe de lait

• Mettre la farine en fontaine.

• Casser les trois œufs au milieu, mettre le beurre en pommade, le sucre et la fleur d'oranger.

• Mélanger le sucre, les œufs et le beurre puis petit à petit la farine pour obtenir une jolie boule de pâte à la texture assez souple.

• Étaler la pâte sur une épaisseur de 2 à 3 mm.

• Tailler des petits disques de 5 cm de diamètre à l'aide d'un emporte-pièce ou d'un verre retourné.

• Poser les disques sur une plaque et les dorer avec un pinceau.

• Mettre au four à 180 °C (th. 6) environ 20 à 25 min.

Beignets
de carnaval

4 ŒUFS • 25 CL DE LAIT • 125 G DE FARINE • 60 G DE BEURRE • SUCRE SEMOULE

• Mettre le lait à chauffer dans une casserole. Ajouter le beurre coupé en petits morceaux et une pincée de sel. Amener à ébullition, retirer la casserole du feu.

• Verser en une fois la farine et remuer énergiquement en remettant la casserole sur le feu.

• Remuer jusqu'à ce que la pâte se détache de la spatule et de la casserole.

• Retirer alors la casserole du feu et la débarrasser dans un saladier, travailler encore pendant 2 min.

• Ajouter les œufs un à un en mélangeant bien avec la spatule entre chaque œuf. La pâte doit être alors bien lisse et homogène.

• Faire chauffer la friture à environ 180 °C.

• Avec une cuillère à potage, faire tomber des noix de pâte dans la friteuse en faisant attention à ne s'éclabousser.

• Les beignets gonflent tels des petits ballons et se retournent tout seuls sur eux-mêmes. Laisser dorer l'autre face.

• Égoutter à l'aide d'une écumoire sur un papier absorbant, laisser bien égoutter et servir saupoudré de sucre en poudre.

Madeleines
de la Magdeleine

5 ŒUFS • 180 G DE SUCRE SEMOULE • 180 G DE BEURRE • 200 G DE FARINE
1 SACHET DE SUCRE VANILLÉ • 1 PETIT SACHET DE LEVURE CHIMIQUE

• Faire fondre le beurre dans une petite casserole tout doucement sur le coin du feu.

• Dans un saladier, travailler énergiquement à l'aide d'un fouet les œufs et le sucre ainsi que le sucre vanillé. Ajouter le beurre fondu mais presque froid.

• Ajouter délicatement à l'aide d'une spatule la farine à laquelle on a mélangé le sachet de levure chimique.

• Beurrer grassement un moule à madeleines et le fariner. Remplir aux trois quarts avec une cuillère les petites alvéoles en forme de madeleines.

• Mettre à cuire à four chaud à environ 200 °C (th. 6/7). Il faut approximativement 10 min de cuisson. On peut contrôler la cuisson avec la pointe d'un couteau : si la pointe ressort sèche, la madeleine est cuite.

• Démouler en sortant du four.

J'ai souvenir de la préparation de ces madeleines la veille de la kermesse de La Magdeleine. Il y avait une odeur extraordinaire dans toute la maison.

Galettes de blé noir 90
Quelques garnitures de galettes de blé noir.................91
Pain au lait ribot 93
Cerises au vinaigre...94

Les laitages et desserts

Lait posé 99
Lait cuit 100
Caillebottes 103
Crémet du pays nantais..104
Œufs au lait 107
Crème d'avoine 108
Far breton 111
Crêpes bretonnes...112
Michon 115
Gâteau à la peau de lait 116
Gâteau du pays de Vannes 119
Soufflé aux pommes..120
Tarte aux pommes 123
Quatre-quarts 124
Kouing Amann de Douarnenez 127
Pain d'épices 128
Pain perdu 131
Tchum pot..132
Galettes bretonnes..133
Beignets de carnaval 134
Madeleines de la Magdeleine 137

Crédits photographiques

Le reportage photographique des recettes a été réalisé par Claude Herlédan.
Couverture : © Sucré salé – Dieterlen// Photocuisine
P. 8 : HEEB Christian/hemis. fr
P. 20 : SUDRE Jean-Daniel/hemis.fr
P. 38 : SUDRE Jean-Daniel/hemis.fr
P. 58 : Image Source/hemis.fr
P. 76 : BERTHIER Emmanuel/hemis.fr
P. 96 : SUDRE Jean-Daniel/hemis.fr

Editions OUEST-FRANCE
Aix-en-Provence - Lille - Rennes

Éditeur Jérôme Le Bihan
Coordination éditoriale Isabelle Rousseau
Collaboration éditoriale : Jérôme Le Gousse et Virginie Thépaut
Conception et mise en page Studio des Éditions Ouest-France
Photogravure graph&ti, Cesson-Sévigné (35)
Impression Pollina, Luçon (85)

© 2012, Éditions Ouest-France, Édilarge SA, Rennes
ISBN 978-27373-5984-2 • N° d'éditeur 7088.01.4,5.01.13
Dépôt légal : janvier 2013
Imprimé en France - L62973A
www.editionsouestfrance.fr

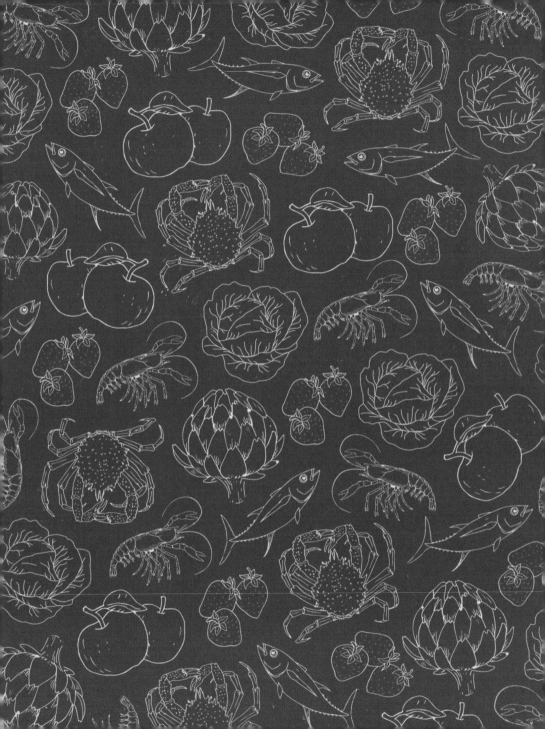